ANRHEG NADOLIG TAID

Michael Morpurgo

Darluniau gan Jim Field

Addaswyd gan Mari Lisa

atebol

Y fersiwn Saesneg

Cyhoeddwyd gyntaf yn 2018 gan Egmont UK Limited, The Yellow Building, 1 Nicholas Road, London, W11 4AN

Hawlfraint testun © Michael Morpurgo 2018

Hawlfraint lluniau © Jim Field 2018

Mae Michael Morpurgo a Jim Field yn datgan eu hawl fel awdur ac arlunydd y gwaith hwn.

Cedwir pob hawl.

Y fersiwn Cymraeg

Cyhoeddwyd yn y Gymraeg gan Atebol Cyfyngedig, Adeiladau'r Fagwyr, Llanfihangel Genau'r Glyn, Aberystwyth, Ceredigion SY24 5AQ

Addaswyd gan Mari Lisa

Dyluniwyd gan Owain Hammonds

Golygwyd gan Adran Olygyddol Cyngor Llyfrau Cymru

Dymuna'r cyhoeddwr gydnabod cymorth ariannol Cyngor Llyfrau Cymru

Hawlfraint © Atebol Cyfyngedig 2019

www.atebol-siop.com

Bob Nadolig, rwy'n tynnu bocs o'r cwpwrdd dan y grisiau. Yn y bocs, mae addurniadau Nadolig o bob math. Yno, hefyd, mae'r dyddiadur ysgrifennais i pan oeddwn i'n fach. Ar y clawr mae lluniau lliwgar o flodau llygad y dydd a'r geiriau: Dyddiadur Mia. Preifat! Bob Nadolig, rwy'n codi'r dyddiadur o'r bocs ac yn ei guddio o dan y canghennau ar waelod y goeden. Dydw i ddim yn ei guddio'n dda. Does dim diben. Mae pawb yn gwybod bod y dyddiadur o dan y goeden, am ei fod o yno bob Nadolig. Maen nhw hefyd yn gwybod pam, ac maen nhw'n rhoi pentwr o anrhegion o'i gwmpas. Mae ein plant ni, a phawb yn y teulu, yn gwybod yn iawn beth sy'n cael ei gadw'n saff y tu mewn i'r dyddiadur ...

Every year at Christmas, I fetch the box of Christmas tree decorations from the cupboard under the stairs. That's also where we keep the diary I wrote when I was little. On the cover, on which I had drawn dozens of daisies of all colours, I had written: Mia's Diary. Keep Out! I always take this diary out and hide it amongst the branches at the bottom of the tree. It's never that well hidden – there'd be no point. Everyone knows it's there, because it always is, and they know why it's there too, and they pile all the presents around it. Our children, the whole family, know what's kept safe inside the diary . . .

Llythyr ydi o, llythyr anfonodd Taid ataf i. Bob Nadolig bydda
i'n darllen y llythyr yn uchel – ar ôl i bawb agor eu hanrhegion –
ac mae'r llythyr, fel y gacen Nadolig a'r carolau, yn rhan bwysig
o'r ŵyl yn ein teulu ni. Fel fi, mae pawb yn gwybod rhannau o
lythyr Taid ar eu cof, ac weithiau maen nhw'n fy helpu i ddarllen
y llythyr.

Dyma beth sydd yn llythyr Taid ...

It's a letter, my grandpa's letter to me. Reading that letter aloud – after all the presents have been
opened – is as much a part of our family Christmas as Christmas cake and Christmas carols.
Like me, they all know parts of Grandpa's letter by heart; sometimes they even join in while I am
reading it.

Here is what Grandpa wrote . . .

I Mia, fy wyres fechan, oddi wrth Taid.

Annwyl Mia fach,

Eleni, yn lle cerdyn Nadolig (mi gei di ddigon o'r rheini), ac yn lle tegan, (mi gei di ddigon o'r rheini hefyd), rwy'n anfon llythyr atat ti. Llythyr oddi wrth Taid. Dydy o ddim yn rhywbeth cyffrous, ond o leiaf mae'n wahanol. Sgrwnsia fo yn dy ddwylo os wyt ti eisiau, ond, rywsut, dydw i ddim yn meddwl y byddi di'n gwneud hynny.

Sorri am y sgribls.

To my little granddaughter, Mia, from her grandpa.

Dearest little Mia,

This Christmas, instead of a Christmas card – you'll have plenty of those – and instead of a present – you'll have plenty of those too, I am sending you a letter. A letter from Grandpa. Not very exciting, perhaps. But it'll be different at least. Scrunch it up, if you want to, but I don't think you will.

'Scuse the wobbly writing.

Wyt ti'n cofio fy helpu yn yr ardd lysiau? Roeddwn i wedi brifo fy nghefn, ac roeddet ti'n palu'r ardd imi. Roeddet ti'n mynnu dangos pob pry genwair roeddet ti'n ei ddarganfod, a minnau'n dweud bod yn rhaid iti ofalu am y pryfed genwair am eu bod nhw'n ffrindiau inni ac yn ffrind i'r pridd hefyd.

Remember last week you were helping me in the vegetable garden? I had hurt my back, so you were doing the digging for me, and stopping to show me every time you found another worm. And I was telling you to be careful with them, how worms are our friends, how good they are for the soil,

Dywedais wrthot ti eu bod nhw'n ein helpu i dyfu llysiau, a bod y fronfraith a'r deryn du pigfelen yn dibynnu arnyn nhw hefyd. Doedd gen ti ddim diddordeb; roeddet ti'n rhy brysur yn chwerthin wrth wylio pry genwair yn dawnsio yn dy law.

how they help us grow our vegetables, and how the blackbirds and thrushes need them too. And you weren't in the slightest bit interested. You were too busy giggling as you held up each worm to show me.

Roeddwn i'n eistedd yn nrws fy sied yn dy wylio, a phensil yn fy llaw. Gwneud rhestr o'r hadau yr oedd angen eu plannu roeddwn i: ffa (fy ffefryn i), india-corn (dy ffefryn di), tatws hadyd (math Wilja, y gorau i wneud tatws pob, meddai Nain), hadau blodau'r pabi a bysedd y cŵn (am fod ieir bach yr haf a'r gwenyn yn eu hoffi nhw).

I sat there watching you, pencil in hand. I was making a list of the seeds we needed for planting out the vegetable garden: broad beans (my favourite), sweetcorn (your favourite), seed potatoes (the Wilja variety, because Grandma always thought them best for baking), as well as poppy seeds and foxglove seeds (because the butterflies and bees love them).

Wrth imi dy wylio'n palu'n fodlon gyda dy raw fechan, ac yn canu'n dawel i ti dy hun, roedd fy nghalon i'n llenwi o gariad atat ti, Mia, ac roeddwn am ysgrifennu'r llythyr hwn atat am fy mod yn dymuno'r gorau iti yn dy fywyd. Roeddwn i wrth fy modd pan fyddet ti'n dod draw i helpu yn yr ardd. Roeddwn i wrth fy modd yn gweld y pleser roeddet ti'n ei gael ym mhopeth, yn y pry genwair yn dawnsio, yn y fronfraith yna roeddet ti'n mynnu ei galw'n dderyn du pigfelen.

As I watched you digging away happily with your trowel, and humming to yourself, my heart was full of love for you, Mia, and I wanted to write this letter to you because there is so much I wish for you in your life. I have loved these days when you come with me to my garden. I love above everything your delight in it all, in that wriggly worm dangling from your fingers, in that thrush you keep calling a blackbird.

Roedd dy weld di'n palu yn y pridd, yn llawn direidi, yn llawn hapusrwydd, yn fy ngwneud innau'n hapus hefyd.

Wyt ti'n cofio gweld llyffant a dod â fo draw i ddangos i mi? Bu'r ddau ohonom yn ei wylio'n sboncio i ffwrdd nes aeth o'r golwg yn y glaswellt. I ffwrdd â thithau wedyn, gyda sgip a sbonc, yn ôl at dy raw fechan, yn ôl i balu'r pridd.

Just to see you digging there in the good earth, so full of the joys of being alive, fills me with happiness and hope.

And then there was the moment you found the frog, and came running over to show me, with cupped hands. We watched him hopping away into the long grass, and you hopped back to your digging again.

Wyt ti erioed wedi gweld llun o'r blaned hon, ein Daear ni,
o'r gofod, Mia?

Mae hi fel pêl las ddisglair, yn troi a throi o hyd ac am byth.
Pêl o olau bywyd.

Have you ever seen a picture of us, of this earth of ours, from space, Mia?
We are a bright blue bead spinning through infinity. A beacon of life.

Ond un diwrnod, os na wnawn ni ofalu amdani, bydd y Ddaear
ffrwythlon hon mor sych a diffaith a difywyd â'r lleuad.

But one day, if we do not care for her, this good earth of ours will be as arid and lifeless as the
moon.

Mae bywyd y byd hwn mor fregus
â thi a mi. Mae'r un mor fregus â
choed, ieir bach yr haf, gwenyn ac
adar, pryfed genwair a llyffantod.
Mor fregus â phlanhigion.

The life of this world is as fragile
as you are, as I am, as trees are, as
butterflies and bees and birds are, as
worms and frogs are, as plants are.

Fel fi, byddi di'n dysgu llawer o bethau yn ystod dy oes, Mia. Eleni, bydda i'n 73 oed – ydi, mae hynna'n hen – ac rydw i wedi dod i ddeall mai peth byw ydi'r Ddaear. Mae'n anadlu, wyddost ti, a rhaid inni beidio â'i brifo rhagor.

If I have learnt one thing for sure in my long life – 73 this year, Mia, and that's old – it is this: earth is a living, breathing being, and we must hurt her no more.

Rydyn ni'n ei defnyddio, yn llygru'r aer a'r môr, yn gwneud bin sbwriel o'i thir, yn gwneud carthffosydd o'i dŵr, yn gwneud mynwentydd o'i chreaduriaid.

We are using her up, fouling the air and the sea, making a dustbin of the land, a sewer of the oceans, a graveyard of her creatures.

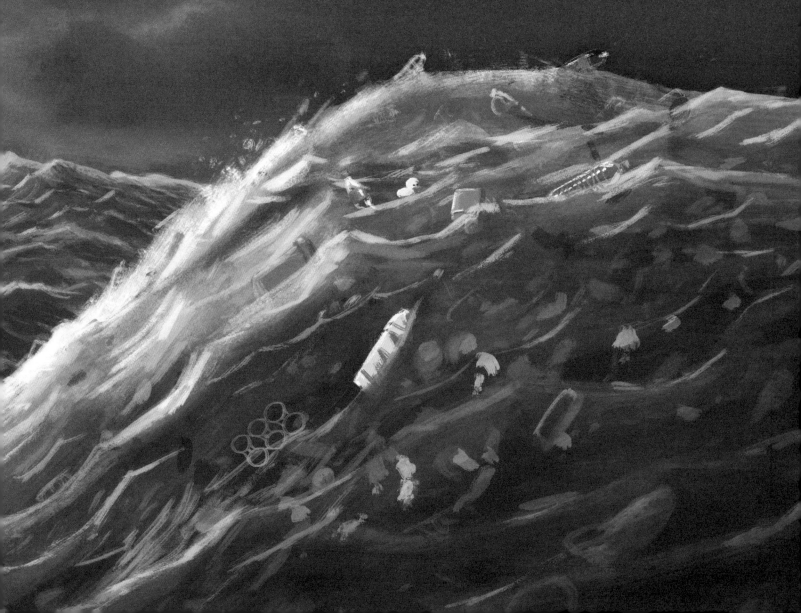

Rhaid inni ddysgu caru ein Daear eto, ei charu hi fel rydw i'n dy garu di ac fel rwyt ti'n fy ngharu i. Oherwydd rwyt ti a fi yn rhan o'r blaned fyw hon, yn rhan o deulu mawr y Ddaear, a ni sy'n gyfrifol am ofalu amdani.

We have to learn to love our earth again, love her as much as I love you and you love me. For you and I, we are a part of this living planet, part of earth's great family. And we are her guardians too.

Fy nymuniad i, Mia fach, yw dy fod ti a phlant y Ddaear gron yn cael byd newydd heb ryfel, heb wastraff. Byd lle mae plant fel ti yn gallu anadlu aer glân ac yfed dŵr clir a chlaear;

So I wish for you, little Mia, and for all children everywhere, a new world, without war and waste, where children like you will be able to breathe in good clean air and drink from clear bright water;

byd o blannu a thyfu a bwyta'r hyn sydd ei angen arnom ni, a dim mwy; byd lle'r ydym ni'n rhannu popeth, fel nad oes newyn na llwgu.

a new time when we grow and eat only what we need, no more, and learn to share all we have, so that no one anywhere goes hungry again.

Fy nymuniad i yw bod tair coeden newydd yn cael eu plannu am bob un sy'n cwympo.

I wish no tree ever to be cut down without planting three more in its place.

Fy nymuniad i, wrth inni hedfan ein hawyrennau, wrth inni yrru ein ceir, wrth inni wresogi ein cartrefi, wrth inni geisio dod yn fwy cyfoethog o hyd, yw dy fod ti'n gallu byw mewn byd lle nad ydym yn achosi i'r blaned gynhesu gormod, lle nad ydym yn achosi i'r iâ doddi, lle nad ydym yn achosi i lefel y môr godi, lle nad ydym yn achosi newyn a llifogydd a thân.

I wish for you a world where, in flying our planes, driving our cars, heating our homes, in our endless striving to be ever more prosperous, ever more comfortable, we do not overheat the planet, do not melt the ice caps, raise the oceans, and so bring famine and flood and fire down upon ourselves.

Fy nymuniad i, yw dy fod ti'n cael
byd lle mae'r morfil a'r dolffin,
crwban y môr a'r sglefren fôr yn cael
llonydd i fyw ymhell bell o dan y
dŵr, mewn môr glân ac iach.

I wish for you a world where the whale and the
dolphin, the turtle and the jellyfish, can live
the life of the deep undisturbed,
in seas unpolluted.

Yr un môr, Mia fach, y buom ni'n padlo ac yn chwarae ynddo ar ein gwyliau haf. Wyt ti'n cofio?

Those same seas, dear little Mia, where we have paddled and played so often on our summer holidays, do you remember?

Fy nymuniad i yw dy fod
ti'n cael byd lle mae'r eliffant
a'r llew, y teigr a'r epa mawr yn
byw'n wyllt ac yn rhydd heb fod neb
yn eu hela nac yn eu cadw'n gaeth er
mwyn i ni gael hwyl. Fy nymuniad i yw
cael byd lle gallan nhw fyw yn eu fforestydd,
lle gallan nhw grwydro'r paith a'r anialwch, lle
gallan nhw gael llonydd i fyw.

I wish for you a world where the elephant and the lion, the tiger and the orangutan can live wild and free – never locked up and imprisoned simply for our entertainment, but left to themselves in their forests, left to roam their plains and their deserts, left to live their lives in peace.

Dyna'r pethau rydyn ni wedi'u mwynhau gyda'n gilydd, Mia:
y môr, y coed, y fronfraith – neu'r deryn du pigfelen i ti – y pry
genwair sy'n dawnsio, y llyffant sbonciog, y pridd da rwyt ti'n
ei balu, y lleuad, y sêr, holl elfennau'r Ddaear wych sy'n troi
a throelli fel pelen las ddisglair yn y gofod mawr. Felly, gofala
am bopeth rydyn ni wedi'i garu gyda'n gilydd. Ceisia fyw yn ôl
rhythm y Ddaear, mewn cytgord â hi. Yna, daw popeth rydw i'n
ei ddymuno i ti yn wir, a bydd popeth yn dda. Ond cofia mai ni
sy'n gyfrifol am wneud y byd yn well, Mia fach, ac mae llawer o
waith i'w wneud, a llond côl o gariad i'w roi.

Taid

These we have loved together, Mia: the sea, the trees, the blackbird – or the thrush, whichever
you wish it to be – that wriggly worm, that jumping frog, the good soil you are digging in, the
moon, the stars, our whole wonderful earth rolling through space. So, look after all we have loved
together. Live always in rhythm, in harmony with this earth. Then all my wishes will come true
for you, and all shall be well. But all shall be well only if we make it well, little Mia. There's a lot of
healing to do, a lot of loving.

Your grandpa

Pan fydda i wedi gorffen darllen y llythyr, byddwn ni'n sefyll mewn cylch ac yn dweud "Nadolig Llawen, Taid. Nadolig Llawen, bawb", ac mi fyddwn ni'n rhoi cwtsh mawr, llawn cariad, i'n gilydd. Rydw i bob amser yn credu bod Taid yno, efo ni ynghanol y cylch, ac yn wên o glust i glust.

When the reading is over, we all stand up and say, "Happy Christmas, Grandpa. Happy Christmas, everyone," and then have a family 'huddle-hug' – as we call it – arms around each other in a circle. I always like to think that Grandpa is there in the middle of that circle, with us.

Fyddai'r Nadolig ddim yr un peth heb
anrheg Taid.

It's almost as if he has become our
Grandpa Christmas.